Les numéros hors-série Beaux-Arts magazine
sont édités par Beaux Arts SA.

Président-Directeur général :
Charles-Henri Flammarion.
Directeur de la publication :
Jean-Christophe Delpierre.
Directeur de la rédaction : Fabrice Bousteau.
Rédacteur en chef adjoint :
Mickaël Faure, assisté de Laurence Castany.
Secrétaire général de la rédaction :
Jean Poderos, assisté de Hortense Meltz.
Conception graphique :
Claire Luxey, sur une idée de Rudi Baur.
Iconographe : Agnès Cuchet.
Secrétaires de rédaction :
Isabelle Arson et, pour les versions étrangères,
Isabelle Gilloots.
Les commentaires d'œuvres
ont été rédigés par Nicole Barbier
et Antoinette Le Normand-Romain.
Traduction anglaise : Lisa Davidson.
Traduction italienne : Claire Lesage.
**Traductions japonaise, russe, espagnole
et allemande :** société SVP.
Directeur de la création et de la fabrication :
Alain Alliez, assisté de
Marie-France Wolfsperger.
Marketing : Isabelle Canals-Noël.

**Beaux Arts magazine, tour Montparnasse,
33, av. du Maine, 75755 Paris, Cedex 15.**
Tél. : 01 56 54 12 34. Fax : 01 45 38 30 01.
RCS Paris B 404 332 942. ISSN : 0757 - 2271.
Dépôt légal : décembre 2001.
Impression : Mariogros, Turin.

Nous remercions Stéphanie Le Follic
et Jean-Luc Pichon du musée Rodin
pour l'aide qu'ils ont apportée à la réalisation
de cet ouvrage.

1

Préface

par Jacques Vilain, directeur du musée Rodin

SOMMAIRE

L'œuvre d'Auguste Rodin est l'une de celles qui atteint au symbole universel. Il est inutile d'évoquer Beethoven quand on parle de *la Pastorale*, Balzac lorsque l'on cite *la Comédie humaine*, ou Berlioz quand on écoute *la Symphonie fantastique*. Il en est de même pour Rodin dont *la Porte de l'Enfer*, le *Balzac*, *les Bourgeois de Calais*, *le Penseur*, *le Baiser…* sont autant de chefs-d'œuvre qui n'ont guère besoin du nom de leur auteur pour être immédiatement identifiés. Mais Rodin dut attendre longtemps avant d'être reconnu par les autorités officielles et par le public. Ce n'est que dans les années 1880, après le scandale soulevé par l'exposition de *l'Age d'airain*, qu'il fut admis au nombre des grands. Le point culminant de sa carrière se situe très probablement en 1900, alors qu'il exposait au pavillon de l'Alma le meilleur de son œuvre; il avait alors soixante ans. Si Rodin aimait vivre à Meudon dans un cadre modeste, il songea très tôt à installer son musée dans le fastueux hôtel Biron, lieu unique en plein centre de Paris, entouré de trois hectares de jardins. Ce musée devait être dédié à ses œuvres mais aussi à ses collections personnelles. Après d'âpres et rudes batailles, le musée Rodin ouvrait ses portes en 1919, deux ans après la mort du sculpteur.

Ainsi cette reconnaissance tardive mais éclatante se concrétisait-elle en un lieu qui, depuis, ouvre ses portes aux admirateurs de chefs-d'œuvre de la sculpture universelle.

2

Vers le musée Rodin

Au 77 de la rue de Varenne se dresse l'hôtel Biron, non pas comme une traditionnelle demeure du faubourg Saint-Germain comprise entre cour et jardin, mais bien comme un véritable château isolé au milieu de son parc. C'est en effet ainsi qu'il fut voulu par son commanditaire Abraham Peyrenc de Moras. Ce perruquier, enrichi dans la spéculation sur le papier monnaie, en demanda les plans et la construction à l'architecte Jean Aubert qui devait par la suite réaliser les très fastueuses grandes écuries du château de Chantilly. La brièveté de la construction (1729-1730) explique sans doute l'homogénéité du bâtiment, à coup sûr l'un des plus beaux témoins du style rocaille. A l'élégance des façades répond le clair alignement des salons au sud, ainsi que la magnifique transparence qui traverse le bâtiment de son entrée aux trois portes fenêtres ouvrant sur la terrasse surplombant le parc. Commanditaire gourmand, Peyrenc de Moras fit réaliser un ensemble de boiseries d'un rare raffinement : il demanda au peintre François Lemoine, qui devait commencer peu de temps après la décoration du plafond du salon d'Hercule à Versailles, un ensemble de dessus-de-porte et de médaillons du meilleur rococo. Deux d'entre eux, récemment acquis, ont pu être remis à leurs emplacements d'origine.

Peyrenc de Moras ne profita guère de sa dispendieuse demeure puisqu'il disparut en 1732. Sa veuve la loua alors à la duchesse du Maine, belle-fille de Louis XIV, jusqu'à la mort de celle-ci en 1753. Le domaine fut alors vendu à une gloire de la bataille de Fontenoy, le maréchal de Biron, dont il portera désormais le nom. Le héros militaire changea peu l'ordonnancement primitif de l'hôtel, mais respecta moins le parc, le parsemant de statues, de grottes, de pavillons, de bassins et l'ornant de parterres de broderies plantés des essences les plus rares. Ce jardin, l'un des plus soignés de l'époque, suscita l'admiration et

2 la façade nord de l'hôtel Biron, entrée du musée Rodin.
Photo J. Manoukian.

3 Rodin coiffé d'un feutre,
photographie de Pierre Choumoff, 23 x 17,1 cm. Inv. Ph 34.

l'étonnement de tous les visiteurs du lieu. A la mort de Biron en 1788, la propriété échut à son neveu, le duc de Lauzun qui, bien qu'ayant participé à la guerre d'indépendance américaine et ayant commandé l'armée révolutionnaire du Rhin, fut guillotiné en 1793.

La révolution provoqua aussi le déclin du domaine. Le parc fut loué à des entrepreneurs de fêtes publiques et de bals. Les somptueux parterres disparurent pour laisser place à un véritable champ de foire. Cependant, sous le Consulat puis sous l'Empire, l'hôtel Biron retrouva sa fonction palatiale pour héberger successivement la légation pontificale et l'ambassade de Russie. Propriétaire du domaine, la pieuse duchesse de Béthune-Chârost, souhaita qu'à sa mort l'hôtel eût une destination accordée à ses propres principes religieux. Elle le céda donc en 1820 à la Société du Sacré-Cœur de Jésus, fondée en 1804, et vouée à la bonne éducation des jeunes filles de l'aristocratie. Dirigé par sa fondatrice, la mère Sophie Barat, le pensionnat se

distinguait par la qualité de son enseignement, l'austérité de ses règles et l'orthodoxie sociale de ses élèves. Eugénie de Montijo y étudia avant d'épouser Napoléon III. Une véritable chasse aux frivolités et au luxe menée par la mère Sophie Barat eut pour conséquence néfaste la vente par la congrégation de tous les ornements superflus, boiseries, panneaux de glaces, ferronneries et dessus-de-portes peints.

Ainsi en 1905, lors de la séparation entre l'Eglise et l'Etat, le domaine échut-il au pouvoir laïc, mais dans les pires des conditions : privé de son merveilleux décor, entouré d'un parc à l'abandon, l'hôtel faisait grise mine. Une période d'incertitude suivit alors qui aurait dû déboucher logiquement sur la démolition de l'hôtel et sur le lotissement du parc. En fait, le liquidateur des biens accepta l'installation provisoire dans le bâtiment et ses annexes de quelques locataires; ce provisoire devait heureusement durer et sauver l'hôtel Biron. Parmi les illustres occupants

6

figurèrent Jean Cocteau, Matisse, et surtout Rodin qui, sur les conseils du poète Rainer Maria Rilke, s'installa dès 1908 dans les salons sud du rez-de-chaussée. Continuant à habiter et travailler à Meudon, Rodin aimait venir à Paris pour flaner et organiser des mondanités dans cette demeure chargée d'histoire.

Le sort de l'hôtel Biron n'était cependant pas encore définitivement réglé. La tentation de le démolir restait présente. En 1911, l'Etat acquit le domaine et le morcela en deux parties, amputant le côté sud réservé au lycée Victor Duruy : il naquit alors l'idée d'affecter le bâtiment à un futur musée Rodin. Le projet suscita de vives oppositions, tant à l'époque l'art du sculpteur était incompris, voire considéré comme sulfureux. A la suite d'interventions politiques dues à Monet, Mirbeau, Poincaré, Clémenceau et Clémentel entre autres, le projet finit par aboutir le 24 décembre 1916. Rodin remis à l'Etat la totalité de ses collections, de ses archives ainsi que l'ensemble de son œuvre, sculptures et dessins, assortis de tous les droits qui y étaient attachés. Le musée ouvrira ses portes en 1919; disparu le 17 novembre 1917, Rodin n'eut pas la joie de voir réalisé ce qui fut son dernier dessein. **Jacques Vilain**

9

8

7 *l'Aube,*
vers 1882-1884,
plâtre, 24,6 x 17,2 x 27 cm.
Inv. S. 1994.
Photo E. et P. Hesmerg.
© Musée Rodin / SPADEM.

8 **vue ancienne de la façade sur jardin de l'hôtel Biron,**
photographie anonyme,
17 x 22,6 cm. Inv. Ph. 1367.

9 **Camille Claudel, *les Causeuses*,**
1897, onyx et bronze,
44,9 x 42,2 x 39 cm.
Inv. S. 1006.
Photo E. et P. Hesmerg.
© Musée Rodin / SPADEM.

Un jardin de sculptures

11

Le jardin de l'hôtel Biron occupe une superficie de trois hectares; il se partage entre une roseraie, au nord de l'hôtel, et un grand parterre, au sud, qui a été réaménagé en 1993. Plusieurs projets furent alors envisagés : restituer les motifs de broderie qui l'ornaient au milieu du XVIIIe siècle, ou recréer l'espace sauvage que connut Rodin, envahi de ronces et de pommiers sauvages sous lesquels couraient des lapins «comme dans les tapisseries médiévales» (Rilke); c'est en fin de compte la proposition de l'architecte-paysagiste Jacques Sgard qui l'emporta : tout en respectant le bassin, le tapis vert et les alignements de tilleuls, ce projet-ci faisait revivre le thème naturaliste cher au XVIIIe siècle.

Dans ce cadre rénové, les sculptures sont présentées en grand nombre. Tandis qu'*Adam*, *Eve*, *la Méditation* et *le Génie du repos éternel*

rythment l'entourage du bassin, les bronzes se sont multipliés : *Orphée*, *la Muse Whistler*, *Bastien Lepage*, *les Trois Ombres*, *les deux Cariatides*, les grandes études pour les *Bourgeois de Calais*... ont occupé progressivement tout l'espace disponible. Le jardin a également accueilli des expositions de sculpture contemporaine et notamment *l'Hommage aux tilleuls et à Rodin* de François Morellet.

Les premiers bronzes avaient été mis en place dans les jardins avant la première guerre mondiale. Au grand *Penseur* offert par un groupe d'admirateurs pour être érigé devant le Panthéon en 1906 et transféré avec son socle au musée Rodin en 1922, s'ajoutèrent l'agrandissement d'*Ugolin* installé au milieu du bassin en 1927, puis *la Porte de l'Enfer*, le second exemplaire en bronze fondu en 1929 mais monté en 1937 seulement, et les *Bourgeois de Calais* (1937). Le *Balzac*,

10 **le grand bassin du jardin.**
Photo B. Jarret.

11 **la façade sur jardin du musée Rodin.**
Photo I. Bissière.

12 *le Penseur,*
1880-1904,
bronze, 180 x 98 x 145 cm.
Inv. S. 1295. Photo B. Jarret.

qui est également une fonte ancienne, antérieure à 1936, ne fut mis en place que bien plus tard. Quelques marbres contribuaient également à l'ornementation du jardin : parmi ceux-ci le plus important est le *Monument à Victor Hugo*, inauguré en 1909 dans les jardins du Palais-Royal dont il fut retiré en 1933 pour être envoyé au musée Rodin. Soumis aux effets de l'humidité, les marbres se couvraient de mousse et se détérioraient peu à peu. En 1995 on décida donc de les mettre à l'abri dans la Galerie des marbres désormais fermée par de grandes baies vitrées : aujourd'hui les visiteurs admirent les sculptures depuis l'extérieur tandis que les feuillages et la façade de l'hôtel se reflètent dans les vitres, créant une ambiance poétique.

Cette nouvelle présentation a permis d'augmenter le nombre des œuvres exposées et de les regrouper par thèmes : la dernière travée est ainsi consacrée à *Victor Hugo*, la figure du poète étant dominée par *la Muse tragique* qui se penche au-dessus de lui pour lui souffler l'inspiration, comme dans le projet de monument exposé en 1897. De leur côté les bronzes bénéficient d'un entretien régulier qui a pour but de préserver les patines anciennes. Cette action, commencée en 1993 avec *Balzac*, s'est étendue progressivement à l'ensemble des sculptures du jardin.

Antoinette Le Normand-Romain

12

13 **les Trois Ombres,**
vers 1882-1902, bronze,
191,5 x 191,8 x 115 cm.
Inv. S. 6411. Photo A. Rzepka.

14 **l'intérieur de la
Galerie des marbres.**
Photo E. et P. Hesmerg.

13

14

Double page précédente :
détail de *la Porte de l'Enfer*,
1880-1917, fondue entre 1919 et 1929,
bronze. Photo B. Jarret.

16 *l'Age d'airain*,
1877, bronze, 181 x 66,5 x 63 cm.
Inv. S. 986. Photo E. et P. Hesmerg.

Exposée en 1877, d'abord en
Belgique, où elle avait été réalisée,
puis à Paris, cette œuvre
provoqua une vive polémique,
Rodin ayant été accusé d'avoir fait
un moulage sur nature.
Convaincu du bon droit du
sculpteur, Turquet, le sous-
secrétaire d'Etat aux Beaux-Arts,
commanda une fonte de
l'Age d'airain pour le musée
de Luxembourg. La traduction en
bronze met en valeur
l'extraordinaire précision du
modelé qui n'a d'égal que celle
des maîtres de la Renaissance
florentine pour lesquels
Rodin, à la suite de son voyage en
Italie, éprouvait tant d'admiration.

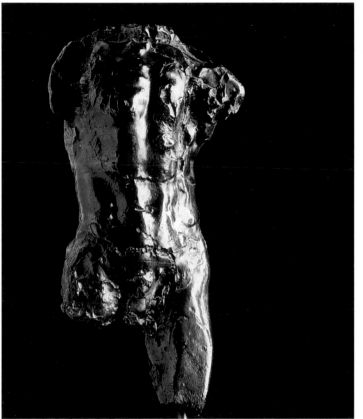

17

18

17 **Etude pour
l'Homme qui marche,**
vers 1870, bronze, 53 x 27 x 15 cm.
Inv. S. 602. Photo E. et P. Hesmerg.

18 **l'Homme qui marche,**
1900-1907, 1877, bronze,
213,5 x 71,7 x 156,5 cm.
Inv. S. 998. Photo B. Jarret.

C'est probablement à partir
de morceaux distincts – études de
jambes d'après le modèle vivant et
torse d'après des bustes
antiques – créés au moment où il
travaillait au *Saint Jean-Baptiste*
que Rodin composa cette
œuvre profondément novatrice en
rupture avec la sculpture de
son temps. Rodin met en évidence
la capacité expressive du corps
limité à ses volumes essentiels;

par là-même, il rompt avec la
tradition classique qui ne
conçoit que la représentation
intégrale de la forme humaine dans
sa perfection. Sur ses pieds
solidement campés au sol,
l'Homme qui marche suggère
l'enchaînement et la permanence
du mouvement, son déroulement
progressif dans l'espace,
notions éminemment modernes
qui seront particulièrement
développées au XXe siècle.
Présentée pour la première fois en
1900, cette œuvre n'obtint son
titre définitif qu'en 1907,
lorsqu'elle fut agrandie
pour atteindre deux mètres et
fondue en bronze.

19 et 20 *le Penseur,*
1880-1904, bronze, 180 x 98 x 145 cm.
Inv. S. 1292. Photos J. Manoukian.

Cette sculpture est l'une des plus
connues de Rodin.
Elle a d'abord été conçue en 1880
en plus petit format pour
la Porte de l'Enfer, où elle trône
au milieu du tympan.
Elle représente Dante réfléchissant
à sa création poétique et
symbolise le créateur en général.
Rodin envisagea son
agrandissement en 1901. Après sa
présentation au Salon de 1904,
une souscription publique
fut ouverte pour qu'un bronze
puisse prendre place dans un lieu
public parisien. Installé
en 1906 devant le Panthéon,
il fut cependant jugé trop petit pour
l'environnement et fut
rendu au musée Rodin en 1922.
Il se dresse aujourd'hui
dans le jardin, au centre d'un
bosquet d'ifs taillés.

19

21 le Baiser,
1882-1898, marbre,
183,6 x 110,5 x 118,3 cm. Inv. S. 1002.
Photo E. et P. Hesmerg.

Ce couple enlacé représentant
Paolo et Francesca, les héros de
Dante, est l'un des groupes
réalisés pour la Porte de l'Enfer.
Rodin l'en retira en 1886.
Cette première version fut
montrée en 1887 et baptisée
le Baiser par les critiques.
Son succès fut tel que l'Etat en
commanda le marbre pour
l'Exposition universelle de 1889.
Mais il ne fut exposé
qu'en 1898, en même temps que
le Balzac, puis en 1900.
Il remporta un très grand succès
comme l'attestent les deux
répliques en marbre aujourd'hui à
Londres et à Copenhague et
de multiples réductions en bronze
éditées par Barbedienne.
Pour Rodin, il s'agissait
d'une œuvre d'inspiration encore
très académique; pourtant
le Baiser est aujourd'hui
devenu le symbole même de la
sculpture de Rodin.

22

22 l'Eternelle Idole,
vers 1889, plâtre, 73,2 x 59,2 x 41,1 cm.
Inv .S. 1044. Photo B. Jarret.

Le titre de cette œuvre souligne le
rôle d'inspiratrice que Rodin
attribuait à la femme et que les
écrivains symbolistes célébrèrent.
La sculpture a sans doute été
exécutée à la fin des années 80, au
moment où Rodin traite à plusieurs
reprises le thème du baiser.
Les deux personnages reparaissent
ensemble ou séparément dans
plusieurs compositions : on
les reconnaît en particulier, serrés
l'un contre l'autre au creux des
bras d'une Damnée de
la Porte de l'Enfer visible
dans la belle esquisse en terre
cuite intitulée la Création.

23 *Je suis belle,*
1886, bronze, 69 x 36 x 36 cm.
Inv. S. 1151. Photo B. Jarret.

Constitué de deux figures de *la
Porte de l'Enfer*, *l'Homme qui
tombe* et *la Femme accroupie*, ce
groupe, exposé dès 1886 comme
«étude du rut humain» (sic),
offre l'un des premiers exemples
d'«assemblage» dans
l'œuvre de Rodin. Il s'intitula
d'abord *l'Enlèvement*, comme pour
mettre en valeur la sauvagerie
qui semble emporter
ces deux personnages, mais
c'est de Baudelaire, dont
Rodin illustra *les Fleurs du mal*,
qu'il reçut son titre définitif :
«Je suis belle, ô mortels,
comme un rêve de pierre...»

Le groupe, à l'origine nu comme
les deux personnages qui
composent *le Baiser* de Rodin,
avait autrefois choqué par «un
violent accent de réalité qui [lui
interdisait] une place dans une
galerie ouverte au public»; Camille
Claudel ajouta alors des drapés qui
accentuent le savant déséquilibre
de la composition. Très admirée
lorsqu'elle fut exposée en 1893, *la
Valse* inaugure la série des
œuvres les plus ambitieuses et les
plus personnelles de l'artiste.

Donné par Paul Claudel au musée
Rodin en 1952, ce marbre,
intitulé d'abord *Sakountala* (d'après
une légende hindoue), puis
l'Abandon, offre un parfait équilibre
plastique et une souplesse infinie
de modelé. Il a souvent été
rapproché des œuvres de Rodin
(*le Baiser, l'Eternelle Idole*),
mais il s'en différencie par
l'importance accordée à l'esprit.

27

26 et 27 **les Bourgeois de Calais,**
1884-1889, bronze, 231 x 245 x 203 cm,
et détails de mains.
Inv. S. 450. Photos J. Manoukian.

En 1884, la ville de Calais
commanda à Rodin un monument
évoquant l'histoire des six
notables qui se sacrifièrent pour
sauver leur cité assiégée par les
Anglais lors de la guerre de
Cent Ans. Le sculpteur a choisi le
moment de tension extrême,
celui où les bourgeois se dirigent
vers le camp du roi ennemi, celui
où chacun d'eux médite sur
sa propre mort. Présenté dans le
jardin du musée, le groupe des
Bourgeois de Calais a été installé à
hauteur d'homme comme l'avait
souhaité Rodin; la ville de Calais,
où fut inauguré le monument en
1895, avait préféré, elle, s'en tenir
à une présentation traditionnelle
sur un socle élevé. Ce choix de
l'artiste visait à réduire la distance
entre les personnages sculptés
et les spectateurs et accentuer le
caractère pathétique du groupe.
Chaque bourgeois se caractérise
par un geste de la main,
ouverte ou repliée. Rodin n'a pas
hésité à modifier les proportions
des membres, les surdéveloppant
afin de renforcer l'effet
dramatique, servi également par
les fortes zones d'ombre.
Jeune homme ou vieillard, chaque
personnage devient
alors l'archétype du sacrifié qui se
dévoue à la cause commune.

28 Pierre de Wissant nu dans l'atelier,
photographie de Charles Bodmer,
vers 1886, 25,3 x 21,5 cm. Inv. Ph. 322.

29 *les Bourgeois de Calais,*
trois vues de la deuxième maquette,
1885, plâtre, 71,5 x 78 x 70,2 cm.
Inv. S. 88/89/90/91/413/434.
Photo B. Hatala.

Rodin travailla sur le monument en plusieurs étapes. Dans la première maquette il insista sur l'expression collective du sacrifice. Il fit ensuite des études nues et vêtues pour chaque personnage qui aboutirent en 1885 à la seconde maquette, réalisée au tiers de la dimension finale. Chaque figure du groupe s'y singularise tant par son âge que par son attitude ou son expression. Les autorités municipales de Calais n'apprécièrent toutefois ni la conception parallélépipédique du monument, ni le sentiment de découragement qui s'en dégageait. En dépit de ces critiques et de la faillite de la banque qui détenait les fonds de la souscription, Rodin poursuivit ses recherches. Il étudia séparément les nus, les têtes et les mains avant de fixer définitivement les personnages. Le grand modèle en plâtre fut exposé en 1889.

31 **la Danaïde,**
1889-1892, marbre, 36 x 71 x 53 cm.
Inv. S. 1155. © Photo D. Boudinet.

C'est en travaillant sur les thèmes
de *la Porte de l'Enfer*
que Rodin eut l'idée de cette
Danaïde, jeune femme désespérée
car condamnée à remplir
éternellement un tonneau sans
fond. C'est un des plus beaux
marbres (taillé par Escoula)
qui soit sorti de l'atelier de Rodin,
présentant en pleine lumière
un dos au modelé admirable que
prolonge une chevelure «liquide»
(Rilke). De nombreuses
répliques attestent son succès.

30

30 **Paolo et Francesca,**
vers 1905, marbre, 81 x 108 x 65 cm.
Inv. S. 1423. Photo B. Jarret.

Maintes fois abordé par Rodin,
le thème du couple d'amants
damnés est ici encore le prétexte à
la représentation de deux corps
enlacés. Ce marbre est également
typique des recherches de Rodin à
cette période, qui systématise
alors l'opposition entre les parties
lisses et brutes et multiplie
les différentes manières de traiter
la surface, lui donnant même
des aspects inachevés. Les
personnages n'occupent qu'une
petite partie de la composition face
à un bloc de marbre abstrait qui
retient singulièrement la lumière.

32 **l'Enfant prodigue,**
1884-1894, bronze,
138,2 x 99,8 x 69 cm.
Inv. S. 1130. Photo A. Rzepka.

«J'ai accusé la saillie
des muscles qui traduisent la
détresse. Ici et là
j'ai exagéré l'écartèlement
des tendons qui marquent
l'élan de la prière…»
Ainsi Rodin expliquait-il la
transformation d'une figure
masculine de *la Porte
de l'Enfer* (l'homme du *Fugıt
Amor*) en *l'Enfant prodigue*,
l'une de ses œuvres où transparaît
avec le plus de force
un désespoir sans bornes.

34 **le Sommeil,**
1889-1894, marbre,
48,4 x 56 x 47,5 cm. Inv. S. 1004.
Photo B. Jarret.

Jouant sur l'opposition entre le
bloc à peine ébauché
et le modelé sensible du visage, ce
beau buste, dont la date
est incertaine, a été réalisé d'après
une très étonnante maquette
en plâtre et terre cuite,
en partie polychrome :
elle est constituée de l'assemblage
d'un buste, d'une
main droite et d'un élément
de guirlande estompés
lors de l'exécution du marbre.

33

33 **l'Illusion, sœur d'Icare,**
1896, marbre, 62 x 96 x 51 cm.
Inv. S. 1385. Photo B. Jarret.

Ce marbre dans lequel
on reconnaît l'une des figures
qui reviennent le plus
souvent dans l'œuvre de Rodin,
la Martyre, cette fois
renversée et dotée d'ailes, fut
exposé au Salon de 1896.
Il est donc contemporain de la
rupture de Rodin et de
Camille Claudel dont ce titre amer
offre sans doute l'écho,
alors que la figure
était inspirée des *Métamorphoses*
d'Ovide (*Alcyoné changée
en oiseau*).

35 *la Centauresse,*
1901-1904, marbre,
70,4 x 103,9 x 32 cm. Inv. S 1031.
Photo B. Hatala.

Alors qu'il travaille sur le projet
de *la Porte de l'Enfer,*
Rodin multiplie les dessins et
ébauches de centaures.
Le plâtre original de cette œuvre,
réalisé vers 1887, témoigne
déjà du procédé d'assemblage que
le sculpteur va systématiser
pour composer sa figure.
Rodin utilise le corps du cheval du
Monument au général Lynch
auquel il adjoint un torse féminin,
la tête de femme du
Fugit Amor et des bras tendus
vers le ciel.

36 *Iris, messagère des dieux,*
vers 1890-1891,
bronze, 82,1 x 86,3 x 52 cm.
Inv. S. 1068. Photo B. Jarret.

Cette œuvre compte parmi les plus
audacieuses d'une série qui
comporte notamment la *Figure
volante* et le *Torse féminin assis.*
Son équilibre est donné par la
position des membres en
extension dans l'espace, sans le
secours d'une base incorporée à la
sculpture. Cet exemplaire
est encore plus puissant que la
version avec tête car seul
importe ici le mouvement d'écart
des jambes.

36

37 **Monument à Balzac,**
1891-1898, bronze,
270 x 120,5 x 128 cm. Inv. S. 1296.
Photo D. Boudinet.

38 **The Open Sky, 11 p. m. (Balzac),**
photographie de Edward Steichen,
49 x 36 cm. Inv. Ph. 233.

En 1883, la Société des gens
de lettres ouvre une souscription
pour élever un monument
à Balzac, dont la réalisation
est confiée au sculpteur Chapu.
A la mort de celui-ci en
1891, la commande revient
à Rodin. Après de nombreuses
études, le sculpteur choisit
de représenter l'écrivain vêtu de sa
robc de chambre. Exposé au
Salon de la Société nationale des
Beaux-Arts de 1898, le
projet reçoit un accueil hostile
et le comité de la Société
des gens de lettres le refuse.
La simplification audacieuse
et la force expressive du *Balzac*
de Rodin en font l'une des œuvres
annonciatrices de la sculpture
du XXe siècle.

38

39 et 40 ***la Main de Dieu,***
1896-1916, marbre, 95,5 x 75 x 56 cm.
Inv. S. 988. Photos E. et P. Hesmerg.

C'est sans doute l'une des œuvres
les plus célèbres de Rodin en
raison de sa puissance expressive.
Pour Rodin, la main qui modèle est
en effet l'instrument de création
par excellence, au point qu'il
affirmait : «La première chose à
laquelle Dieu a pensé en créant le
monde, si nous pouvons nous
imaginer la pensée de Dieu,
c'est au modelé. C'est drôle, n'est-ce
pas de faire de Dieu un sculpteur ?»
Comme en écho à cette
réflexion, un petit torse féminin
modelé par Rodin fut placé dans le
moulage de la main de celui-ci
réalisé quelques semaines
avant sa mort par son assistant
Paul Cruet. La première version de
la Main de Dieu, en plâtre,
a probablement été exposée à
Munich en 1896. Il en existe
plusieurs exemplaires en marbre,
celui-ci ayant été taillé en
1916 pour le futur musée Rodin.

39

41

En 1880 l'Etat commanda à Rodin
une porte monumentale en bronze
destinée au futur musée des
Arts décoratifs dont l'emplacement
n'était pas encore décidé. Le
thème illustrant cette porte semble
avoir été choisi par Rodin lui-même
dans *la Divine Comédie* de Dante,
l'interprétation des scènes
dramatiques de l'Enfer lui donnant
la possibilité d'exprimer la passion,
la violence et le désespoir.
Rodin s'inspira d'abord des portes
du Baptistère de Florence,
mais il supprima la division en
panneaux géométriques pour ne
garder qu'un linteau et deux
vantaux couverts d'une foule de
figures entremêlées dont les
reliefs, plus ou moins accentués,
produisent de spectaculaires effets
d'ombre et de lumière. Rodin
travailla à *la Porte* avec furie
au début des années 1880, et en
1884, l'œuvre était si avancée
qu'il fit faire des devis pour la
fonte. Mais d'autres commandes
l'en détournèrent à partir de 1888-
1889 et il devint évident que la
commande ne serait jamais
achevée. C'est un modèle presque
dépourvu de toutes
les figures en ronde-bosse qui sera
exposé en 1900 (il se trouve
au musée de Meudon). Le modèle
complet est exposé au musée
d'Orsay, les bronzes n'ayant été
fondus qu'après la mort de Rodin.

47

détails de **la Porte de l'Enfer** :
43 **Ugolin**, 44 **l'Homme qui tombe**,
45 **le Penseur**, 46 **Fugit Amor**.
Photos B. Jarret.

47 **Adam**,
1881, bronze, 194 x 74 x 74 cm.
Inv. S. 962. Photo A. Rzepka.

La Porte de l'Enfer fut pour Rodin
l'occasion de créer
un répertoire de sujets qu'il
développa isolément
et qui deviendront célèbres
hors de ce contexte.
C'est bien sûr le cas du *Baiser* ou
du *Penseur*, mais aussi
de *Ugolin*, *Fugit Amor*, *l'Homme
qui tombe*, *la Danaïde*,
la Martyre, *la Cariatide à la pierre*,
l'Enfant prodigue et les
nombreuses variantes de damnées.

44

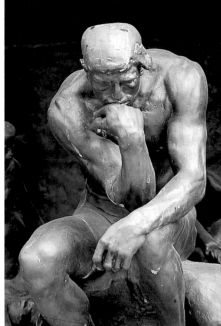

45

46

48 **la Cathédrale,**
1908, pierre, 64 x 29,5 x 31,8 cm.
Inv. S. 1001. Photo E. et P. Hesmerg.

49 **le Secret,**
1909, marbre, 89 x 49,7 x 40,7 cm.
Inv. S. 1000. Photo B. Jarret.

«Il y a dans l'œuvre de Rodin des
mains, des mains indépendantes
et petites qui, sans appartenir à
aucun corps, sont vivantes.
Des mains qui se dressent, irritées
et mauvaises…des mains qui
marchent et qui dorment et des
mains qui s'éveillent; des mains
criminelles… et des mains qui sont
fatiguées…» (Rilke). Il y a aussi
des mains assemblées à d'autres
mains : le Secret et la Cathédrale
sont constitués l'un comme

48

l'autre de deux mains droites, ce
qui permet d'éviter l'opposition
disgracieuse des mêmes doigts.
Mais tandis que le premier
n'enferme que le vide, le façonnant
à la manière de ces cathédrales
gothiques que Rodin aimait
tant, le second se referme sur un
bloc de marbre taillé en coffret ou
en calice. L'œuvre prend
alors une signification symbolique :
«Une main qui se pose, poursuit
Rilke (…) n'appartient plus
tout à fait (au corps) d'où elle est
venue. Elle et l'objet qu'elle touche
ou empoigne forment
ensemble une nouvelle chose, une
chose de plus qui n'a pas
de nom et n'appartient à personne».

50

Les plâtres de Meudon

51

Après avoir occupé de multiples logements, Rodin fit l'acquisition, le 19 décembre 1895, de la villa des Brillants à Meudon. Il s'attacha à cette maison modeste et n'eut de cesse d'agrandir la propriété en multipliant l'achat des parcelles avoisinantes, dont les constructions devenaient des ateliers où s'affairaient mouleurs et praticiens. En 1901, il fit remonter à côté de la véranda le pavillon de l'Alma. Erigé pour l'Exposition universelle de l900, ce bâtiment avait abrité une large rétrospective des œuvres de Rodin et fut à l'origine de l'immense succès public du sculpteur. Ce pavillon, que nous ne connaissons plus aujourd'hui que par des photographies, devint alors une sorte de musée-atelier où Rodin pouvait montrer à ses visiteurs les nombreuses sculptures qu'il y avait disposées. L'édifice constituait d'une certaine manière une préfiguration du musée Rodin de Paris dont l'artiste commençait à formuler le projet et qui fut concrétisé par la

donation de ses œuvres à l'Etat en 1916. Parmi les ajouts faits au domaine, il faut également signaler la façade du château d'Issy-les-Moulineaux, incendié en 1871, que Rodin fit reconstituer en 1907-1908. C'est devant ces vestiges de la fin du XVIIe siècle que se trouve la tombe du sculpteur et de sa compagne Rose Beuret, dominée par un bronze du *Penseur*.

La physionomie de la propriété changea après la mort de Rodin. Le pavillon de l'Alma fut remplacé par l'actuel édifice, construit entre 1929 et 1931 par l'architecte Henry Favier, grâce à une donation de l'Américain Jules Mastbaum, fondateur du musée Rodin de Philadelphie. Les autres bâtiments disparurent aussi, libérant le terrain mais lui enlevant une partie de son caractère documentaire. Le musée ouvrit en 1947 et a fait récemment l'objet de restaurations.

C'est à Meudon que sont conservés les milliers de plâtres et terres cuites que Rodin a réalisés

50 **vue actuelle de l'atelier de la villa des Brillants à Meudon.** Photo A. Rzepka.

51 **Rodin dans son atelier au milieu des plâtres,** photographie anonyme, 1902, 25,3 x 25 cm. Inv. Ph. 203.

52

53

tout au long de sa carrière, ainsi que les moules d'où sont sortis ces mêmes plâtres. A l'heure actuelle, un certain nombre de ces plâtres sont mis à la portée du public, éclairant ainsi la genèse des œuvres les plus célèbres. Les études pour *la Porte de l'Enfer* en constituent bien sûr l'un des pôles d'attraction; il est possible d'observer isolément certains des personnages modelés avant que Rodin ne les ait insérés dans la composition. Plusieurs vitrines témoignent de ce travail préliminaire autour d'une version de *la Porte* sans les figures en relief, telle qu'elle avait été présentée à l'exposition de 1900.

Outre les plâtres originaux, les différentes études pour les principaux monuments comme *les Bourgeois de Calais* sont les plus édifiantes. Dans le cas du *Balzac*, par exemple, on peut voir plusieurs bustes conçus d'après les documents que

Rodin avait pu rassembler, puis des versions en pied, nues ou habillées, et même l'étonnante étude de robe de chambre fantôme, qui se sont accumulés avant la réalisation du monument définitif. L'examen de ces plâtres éclaire le travail du sculpteur, qui n'utilisait pas seulement la technique du modelage. Il assemblait grossièrement des sculptures de membres et de corps conçus séparément, ne se souciant pas d'égaliser les différences de surface. Des tissus trempés dans du plâtre venaient draper la figure pour indiquer la composition finale. La démarche est identique pour les diverses versions des monuments à Victor Hugo. Les hésitations sur l'agencement des sujets apparaissent toutes là et les variations des compositions témoignent des recherches insatisfaites de l'artiste.

C'est grâce à ces plâtres que l'on peut comprendre comment Rodin travaillait, puisqu'il n'a

54

pas laissé de mémoires explicatifs. Ce sont eux qui nous renseignent sur sa méthode si novatrice, dont on remarque qu'elle transparaît moins pourtant dans les œuvres définitives. L'originalité du musée de Meudon réside donc dans sa complémentarité avec celui de Paris, qui présente surtout des sculptures réalisées dans des matériaux plus nobles, bronze ou marbre.

Nous sommes cependant loin de connaître toute l'œuvre de Rodin et le long travail d'inventaire des réserves a apporté de merveilleuses surprises. Tout un aspect de sa création, jusqu'à présent occulté, se révèle, en particulier le rôle de l'assemblage, pour ainsi dire systématique à la fin de sa carrière. On avait vu le sculpteur, au moment de la création de *la Porte de l'Enfer*, reprendre dans d'autres positions des figures créées pour elle, comme *la Martyre* ou utiliser en quelque sorte des multiples comme pour *les Trois Ombres*. Il va prendre de plus en plus de liberté dans ses montages, adjoignant aux moulages pris sur ses modèles des éléments hétéroclites comme des branchages (on en voit un dans l'assemblage de *Deux Figures d'Eve* et de *la Femme accroupie*) ou des céramiques antiques de sa collection. C'est ainsi qu'il a jeté les bases de la sculpture du XXᵉ siècle et l'on comprend mieux l'influence qu'il a pu exercer sur les jeunes sculpteurs de son époque.

Cet aspect si contemporain est progressivement dévoilé au public. Certaines pièces ont été récemment montrées lors d'expositions temporaires et un plus grand nombre d'entre elles sont installées au musée de Meudon. C'est une chance que la donation de Rodin à l'Etat ait pu se concrétiser car on ne sait ce que seraient devenus ces plâtres, à une époque où l'on aimait l'achevé. Ils sont au contraire aujourd'hui le témoignage d'un amour et d'une compréhension de la sculpture, faite avant tout de formes disposées dans l'espace. **Nicole Barbier**

5.006

55

Les dessins

Les dessins de Rodin jouissent d'une notoriété paradoxale. L'image que l'on s'en fait est souvent celle d'une femme nue dans une pose un peu lascive, cernée d'un trait léger, rehaussée d'une aquarelle aux couleurs terre de Sienne. De nombreux faux répondent, hélas, à cette description et c'est pour réajuster ce regard trompeur et éclairer le public que le musée Rodin a édité l'œuvre entier, soit quelque sept mille deux cents dessins. Etendu, cet ensemble étonne en outre par sa variété et sa subtilité. Il faut préciser que si Rodin dessine avant de sculpter, ce n'est pas uniquement pour sculpter.

Dans sa jeunesse, son travail dénote un goût pour l'antique et pour l'ornement; des paysages à la sanguine retiennent son attention lors d'un séjour en Belgique. Un voyage en Italie et la découverte de Michel-Ange sont décisifs et enracinent son attrait pour *l'Enfer* de Dante. C'est l'âge romantique et visionnaire du dessinateur, lorsque le côté tragique de la vie s'exprime par le sombre enchevêtrement de la mine de plomb,

de la plume, du lavis brun et de la gouache. Sa lecture de *la Divine Comédie* est littérale, beaucoup plus fidèle en dessin qu'en sculpture, l'un ne menant pas à l'autre mais l'un ne vivant pas sans l'autre. Des damnés de Dante aux *Femmes damnées* de Baudelaire, Rodin s'inscrit dans une filiation spirituelle certaine. Chacun des deux poètes le dispute à l'autre dans l'imagination de l'artiste à qui Paul Gallimard demande, en 1887, d'illustrer son exemplaire personnel des *Fleurs du mal*. Les dessins que Rodin trace dans la marge ne seront alors connus que par un cercle d'amateurs très restreint. Les éditions en fac-similé (de 1918, 1940, 1968 et 1983), les diffuseront auprès d'un public plus large. Quant à l'album Goupil (du nom de l'éditeur d'estampes) de 1897, il ne contentera que ses 125 souscripteurs. Octave Mirbeau en soulignera le caractère confidentiel dans une préface aux 142 dessins inspirés par Dante. Un grand admirateur de Rodin, Maurice Fenaille, fut à l'origine de ce mécénat. Dans le temps qu'il conçoit la *Porte de l'Enfer*, Rodin entreprend de

55 ***Aurore, femme nue allongée les mains sur la nuque,***
vers 1900, mine de plomb, aquarelle et gouache sur papier beige,
32,4 x 24,7 cm. Inv. D. 5006.
Photo B. Jarret.

56 ***Transport de Psyché au ciel,***
1898-1907,
mine de plomb, estompe et aquarelle sur papier crème,
32,5 x 25,2 cm.
Inv. D. 4606. Photo B. Jarret.

56

57

parcourir les routes de France, dessinant plus volontiers les églises modestes que les grandes, allant jusqu'à noter sur des carnets des centaines de moulures. En 1914, il réunit quelques-uns de ses croquis d'architecture dans *les Cathédrales de France* que présente Charles Morice.

Homme de l'ombre et de la lumière, Rodin va peu à peu éclaircir sa palette. Il prend désormais la femme pour modèle. La feuille de papier s'agrandit, le trait s'apaise, se défend d'une exaltation débridée, se soumettant à l'observation de la vie. Les critiques croient voir là une dette envers les peintres de vases grecs ou les graveurs d'estampes japonaises. En février 1899, un contrat est signé entre Vollard et Rodin pour l'illustration du *Jardin des Supplices* écrit par Mirbeau. C'est le lithographe Auguste Clot qui reporte sur la pierre les aquarelles de Rodin. La presse est effrayée par les poses audacieuses et le trait d'un seul jet. On crie au génie ou à l'imposture en accusant ces œuvres d'être de

simples ébauches. Les titres des dessins sont souvent inspirés par la mythologie perçue à la lumière des *Métamorphoses* d'Ovide. Rodin se fait l'interprète infatigable des mouvements du corps, sur des milliers de feuillets. La danse l'attire dans ce qu'elle a de plus affranchi à l'égard de l'Occident, mais en même temps de plus traditionnel à l'égard de l'Extrême-Orient. Ainsi, la troupe de ballet de Cambodgiennes, découverte lors de l'Exposition coloniale de 1906, suscite une suite éblouissante de dessins.

S'aidant de la mine de plomb, de l'estompe souvent appliquée au doigt, de l'aquarelle délicate et nuancée, Rodin porte sur la femme un regard attentif et gourmand. Les œuvres qui, jusqu'alors, faisaient le régal de cabinets d'amateur, sont exposées à Paris et aussi à l'étranger. De l'Europe à l'Amérique, les grandes capitales découvrent et apprécient un style graphique tout à fait neuf. Encore Rodin gardait-il dans ses tiroirs ce qu'il ne pouvait envisager de montrer à ses

58

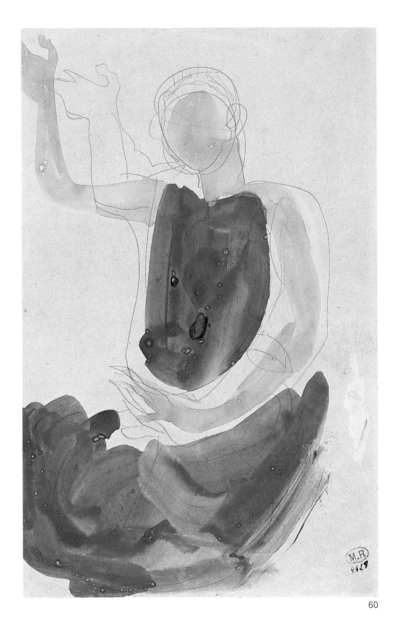

contemporains, et qui fait aujourd'hui l'objet d'un véritable engouement : les découpages et les érotiques. L'expérience du papier à trois dimensions, qui semble une tentation naturelle pour un sculpteur sera renouvelée bien des années plus tard par un peintre comme Matisse. Quant aux œuvres érotiques, elles forment un nouvel «Enfer» qui n'est plus celui de Dante, qui assaille davantage Rodin devenu un vieillard que le jeune homme d'autrefois. C'est là une inclination que l'artiste partage avec Victor Hugo, un autre poète dont le chemin est parallèle au sien.

La publication des cinq volumes de l'inventaire des dessins, qui s'est achevée en 1992, traduit le souci du musée Rodin de porter à la connaissance de tous une œuvre qui ne peut être exposée au jour, la fragilité du dessin réclamant l'obscurité des cartons. Les récentes acquisitions, qui complètent les collections par des pièces rares ou comblent leurs lacunes, la transcription de cinquante-cinq carnets annotés, une bibliographie, une liste des dessins exposés du vivant de Rodin, et un index concluent le dernier tome. Une salle de l'hôtel Biron est réservée à la

61

présentation des œuvres par rotation, tous les
trois mois. Des expositions s'emploient à déve-
lopper des thèmes choisis.

Reste, à propos de Rodin, la difficulté constante
à dater ses ouvrages. Lui-même était fort négli-
gent en la matière et l'on ne peut y remédier quel-
quefois que par des moyens très obliques ou par
des hypothèses nécessairement aventureuses.
Autant les différentes époques de sa création
sont assez faciles à déterminer, autant il est mal-
aisé d'appréhender le détail de la chronologie de
son œuvre. **Claudie Judrin**

Rodin photographié

62 **le *Monument à Victor Hugo* dans les jardins du Palais-Royal,** photographie de Adolphe Braun, 21,5 x 27,5 cm. Inv. Ph. 1194.

63 *l'Eternel Printemps,* photographie de Jacques-Ernest Bulloz, 27 x 36 cm. Inv. Ph. 1582.

63

Né en 1840, un an après la découverte de la photographie, Rodin n'a pas échappé à l'attrait pratique et esthétique de cette nouvelle technique de reproduction. Les quelque 7000 images qu'il rassemble entre 1860 et 1917 illustrent magnifiquement cet intérêt. Les reproductions de sculptures, qui représentent à elles seules les trois quarts de la collection, ont été commandées par l'artiste à différents photographes. Parmi eux, les noms les plus célèbres côtoient les plus méconnus : Steichen, Bulloz, Druet, Coburn, Haweis et Coles mais aussi Pannelier, Bodmer ou encore Freuler. Malgré les exigences de Rodin – il imposait l'angle de prise de vue, les fonds et la lumière –, chacun d'eux a su donner une vision nouvelle des œuvres. Le tout présente une variété inhabituelle. Il est bien évident qu'une sculpture en terre, photographiée dans l'atelier de Rodin en 1880, tirée sur papier albuminé, n'a rien à voir avec le même sujet en marbre photographié vingt ans plus tard et tiré sur papier argentique. L'image confirme et amplifie ce que Rodin a toujours su : un même sujet exécuté dans deux matériaux différents donne deux sculptures différentes.

A ces clichés s'ajoutent les nombreux portraits de Rodin seul ou entouré d'amis, de ses proches, de ses modèles et de ses relations mondaines. Enfin, il faut mentionner les photographies de sculptures que les élèves du maître lui envoyaient pour les soumettre à sa critique.

La collection constitue un musée imaginaire avant la lettre. Les problèmes inhérents à la sculpture, poids, transport, matériaux ont disparu pour laisser place à des feuilles de papier légères, peu encombrantes, parmi lesquelles chacun peut faire les choix qui lui convient, les associations les plus étonnantes ou les plus attendues. Grâce à elles on peut commenter, interpréter, deviner, déformer et même inventer les intentions de Rodin. Autant de réflexions qu'il serait difficile, pour ne pas dire impossible, de faire sans l'aide de la reproduction photographique. **Hélène Pinet**

62

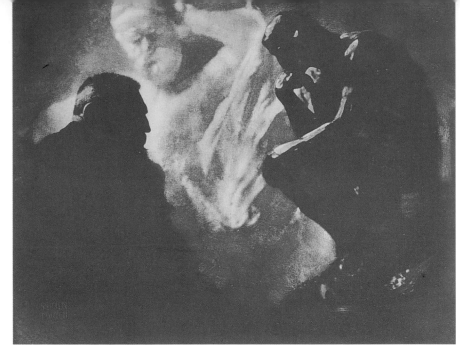

64

65

66

64 **Rodin,** *le Penseur*
et le *Monument*
à Victor Hugo,
photographie
de Edward Steichen, 1902,
26 x 32 cm. Inv. Ph. 217.

65 *le Penseur,*
photographie de
Jean-François Limet,
37 x 27,3 cm. Inv. Ph. 980.

66 *Pierre de Wissant,*
photographie de
Edward Steichen,
20,5 x 13,2 cm. Inv. Ph. 425.

67 *Balzac,*
photographie de
Edward Steichen,
15,6 x 19 cm. Inv. Ph. 255.

Biographie

68 **Rodin dans son jardin à côté d'un antique,** photographie anonyme, 21,6 x 15,5 cm. Inv. Ph. 188.

1840. François-Auguste-René Rodin naît le 12 novembre à Paris au 3, rue de l'Arbalète.

1847. Il reçoit une éducation religieuse à l'école des frères de la Doctrine chrétienne, rue du Val-de-Grâce. Il commencera à dessiner à neuf ans.

1854. Il étudie à l'Ecole impériale spéciale de dessin et de mathématiques (la Petite Ecole), aujourd'hui Ecole supérieure des arts décoratifs. Il suit les cours d'Horace Lecoq de Boisbaudran qui enseigne à dessiner de mémoire, copie les artistes du XVIIIe siècle français (Boucher, Van Loo, Bouchardon, Clodion), ainsi que les antiques au Louvre et les estampes de la bibliothèque impériale. Il fréquente également les cours de dessin d'après modèle vivant à l'école de la manufacture des Gobelins et les cours de littérature et d'histoire au Collège de France; lit Michelet, Victor Hugo, Musset, Lamartine, Homère, Dante, Virgile.

1857. Conseillé par le sculpteur Etienne-Hippolyte Maindron qui a vu ses dessins, il se présente au concours d'admission à l'école des Beaux-Arts, section sculpture, mais, par trois fois, il est refusé en raison de son style trop marqué par le XVIIIe siècle.

1858. Pour venir en aide à sa famille, il travaille comme mouleur et ornemaniste chez plusieurs décorateurs. De son passage au service du plâtrier Constant Simon, Rodin assurera qu'il lui a appris «la science du modelage». Il achève, en 1860, un buste de son père, sa première œuvre connue.

1862. La mort de sa sœur, Marie, l'affecte profondément. Il entre comme novice chez les pères du Saint-Sacrement.

1863. Il exécute le buste du père Eymard. Celui-ci l'encourage à poursuivre une carrière de sculpteur. Rodin quitte les ordres à la fin du mois de mai. Il loue une écurie, près des Gobelins, qu'il aménage en studio et commence à travailler à *l'Homme au nez cassé*. Le plâtre présenté l'année suivante au jury du Salon sera refusé. Rodin devient membre de l'Union centrale des arts décoratifs, qui compte dans ses rangs Delacroix, Ingres, Lecoq de Boisbaudran, Dumas père, Théophile Gautier. Rodin y rencontre Carpeaux qui l'accueillera plus tard assez froidement dans son atelier.

1864. Rodin suit les cours d'Antoine Louis Barye au Museum d'histoire naturelle et les cours d'anatomie à l'Ecole de médecine. Il rencontre Rose Beuret qui lui servira de modèle et partagera toute son existence, avant de devenir son épouse à la veille de sa mort. Il travaille à la décoration du théâtre des Gobelins, du Panorama des Champs-Elysées et du théâtre de la Gaieté. Il rencontre Carrier-Belleuse et travaille à mi-temps comme modeleur sous sa direction à la manufacture de Sèvres.

1865. Il loue un atelier rue Lebrun. Il travaille à la décoration de l'hôtel particulier de la Païva, avenue des Champs-Elysées.

1866. Naissance de son fils Auguste-Eugène Beuret le 18 janvier.

1870. Incorporé pendant la guerre franco-prussienne au 150e régiment de la Garde nationale, il est réformé peu de temps après à cause de sa myopie.

1871. Après l'armistice, il rejoint Carrier-Belleuse à Bruxelles et travaille sous sa direction à la décoration de la Bourse du commerce.

1872. Rose le rejoint à Bruxelles. Il exécute des modèles pour la Compagnie des bronzes.

1875. Rodin expose au Salon des artistes français à Paris et participe au concours pour un monument à lord Byron à Londres. Il part pour l'Italie en hiver.

1876. Il visite Florence, Rome, copiant Donatello et Michel-Ange. De retour à Bruxelles, il commence à travailler à *l'Age d'airain* d'après modèle vivant. Il exécute un groupe d'*Ugolin et ses enfants* aussitôt détruit. Il expose à la Centennial Exhibition de Philadelphie les modèles réalisés pour la Compagnie des bronzes.

1877. Il présente le plâtre de *l'Age d'airain*, sous le titre *le Vaincu* au Cercle artistique de Bruxelles puis au Salon, à Paris. Malgré ses protestations, on l'accuse d'avoir moulé la sculpture sur nature. L'œuvre fait cependant sensation auprès des élèves de l'Ecole des beaux-arts. Rodin et Rose reviennent à Paris en automne, après avoir visité de nombreuses cathédrales françaises. Etudes préliminaires pour *Saint Jean-Baptiste prêchant*. Rodin continue de travailler en même temps pour des joailliers, des ébénistes et pour le sculpteur André Laouste (décoration du palais du Trocadéro).

1878. Les sculpteurs Dupuis, Chapu, Carrier-Belleuse, Chaplain, Falguière… adressent au ministre une lettre prenant la défense de Rodin dans «l'affaire» de *l'Age d'airain*.

1879. Sur l'invitation de Carrier-Belleuse, maintenant directeur de la manufacture de Sèvres, Rodin entre dans le personnel extraordinaire temporaire. Il y travaille à intervalles irréguliers jusqu'à la fin de 1882.

1880. Expose au Salon le plâtre de *Saint Jean-Baptiste prêchant* et le bronze de *l'Age d'airain* qui reçoit une mention honorable et est acheté par l'Etat. Edmond Turquet, le sous-secrétaire d'Etat aux Beaux-Arts, lui commande une porte monumentale pour un futur musée des Arts décoratifs à Paris. Le sculpteur entreprend dès lors *la Porte de l'Enfer*. Celle-ci ne sera jamais achevée bien qu'elle ait occupé Rodin pendant plus de trente ans, générant des œuvres parmi les plus célèbres. Il obtient un atelier au dépôt des Marbres.

1881. *Saint Jean-Baptiste prêchant* est acheté par l'Etat après l'exposition au Salon. Rodin effectue la première de ses nombreuses visites à Londres sur l'invitation d'Alphonse Legros. Celui-ci l'initie à la gravure à la pointe sèche et le met en rapport avec W. E. Henley, le directeur de la revue *Magazine of Art* qui contribuera à son renom en Angleterre.

1882. Il commence une grande série de bustes de ses amis artistes et écrivains (Carrier-Belleuse, Laurens, Dalou, Haquette, Becque, Hugo…)

1883. Rodin rencontre Camille Claudel qui sera son élève, sa maîtresse, sa collaboratrice et son modèle pendant près de quinze ans.

1884. Il loue un atelier au 117, rue de Vaugirard. Il partage son temps entre le projet pour le *Monument aux Bourgeois de Calais* et *la Porte de l'Enfer*.

1885. La ville de Calais lui commande le *Monument aux Bourgeois de Calais*. Premier portrait de Camille Claudel, *l'Aurore*.

1886. Il déménage de nouveau au 71, rue de Bourgogne. Remporte le concours pour le *Monument à Bastien Lepage* à Damvilliers (inauguré en 1889). Prépare une suite de dessins pour illustrer *les Fleurs du mal* de Baudelaire. Montre un important ensemble d'œuvres à la première exposition internationale de la galerie Georges Petit. Exécute le deuxième portrait de Camille Claudel, *la Pensée*, et *le Baiser*.

1887. Rodin reçoit le 31 décembre la croix de chevalier de la Légion d'honneur (il sera fait officier en 1892 puis commandant en 1903).

1888. L'Etat lui commande une réplique en marbre du *Baiser* et lui achète le *Buste de madame Morla Vicuña*. Il loue la folie Neubourg sur le boulevard d'Italie où il passe la plupart de son temps avec Camille Claudel.

1889. Reçoit, le 9 avril, commande du *Monument à Claude Lorrain* qui doit être érigé à Nancy. Il est élu membre du jury du Salon et du jury de l'Exposition universelle. L'exposition de ses œuvres à l'Exposition universelle et à la galerie Georges Petit (36 sculptures dont toutes les figures des *Bourgeois de Calais*, montrées pour la première fois), en même temps que Monet, contribuent grandement à sa réputation. Les critiques les plus en vue font désormais partie de ses défenseurs : Camille Mauclair, Gustave Geffroy, Octave Mirbeau, Roger Marx. Il reçoit, le 16 septembre, commande par l'état d'un *Monument à Victor Hugo* pour le Panthéon. Il y travaille pendant l'hiver mais sans suivre les instructions de l'administration qui veut une figure debout. Il choisit de représenter le poète assis, entouré des muses. Le projet est jugé, l'année suivante, inadéquat pour l'emplacement prévu; on songe néanmoins, au début de 1891, à l'installer dans les jardins du Luxembourg.

1890. Rodin loue l'ancienne demeure de Scribe à Bellevue-Sèvres. Avec Dalou, Meissonnier, Carrière et Puvis de Chavannes, il fonde la Société nationale des beaux-arts. Il est élu vice-président de la section sculpture. Il commence pendant l'hiver à travailler sur le second projet du *Monument à Victor Hugo* pour le Panthéon.

1891. La Société des gens de lettres lui commande un *Monument à Balzac* qui doit être livré dans les dix-huit mois.

1892. Le *Monument à Claude Lorrain*, inauguré à Nancy le 6 juin, est critiqué;

69 **Rodin à la 4ᵉ exposition de la New Gallery,** photographie Stereoscopic Company, London, 24 x 28,6 cm. Inv. Ph. 1923.

70 **Rodin entouré de Léonce Bénédite, de Mlle Coltat et d'un troisième personnage non identifié,** photographie de Pierre Choumoff, 22 x 16,7 cm. Inv. Ph. 895.

Rodin est obligé d'en modifier le piédestal. Une souscription présidée par Leconte de Lisle est ouverte pour un monument à Baudelaire qui sera réalisé par Rodin. Parution du premier livre sur le sculpteur par Gustave Geffroy.

1894. La Société des gens de lettres somme Rodin de livrer la statue de Balzac. L'artiste voyage dans le sud de la France et rend visite à Monet à Giverny en compagnie de Clémenceau, Mirbeau, Geffroy et Cézanne.

1895. Il achète la villa des Brillants à Meudon qui devient sa résidence principale jusqu'à sa mort. En mauvaise santé et déprimé, Rodin doit affronter les critiques d'une grande partie de la presse qui s'est emparée de la polémique autour de la statue de Balzac. Le *Monument aux Bourgeois de Calais* est inauguré. Son installation est contraire aux instructions de Rodin.

1896. Donne au Musée Rath de Genève trois sculptures dont l'une, jugée indécente, est reléguée dans les réserves.

1897. La première étude importante des dessins d'Auguste Rodin, préfacée par Octave Mirbeau, est publiée par la maison Goupil.

1898. Rupture avec Camille Claudel. La Société des gens de lettres refuse le *Balzac* (montré au Salon) qu'elle considère inachevé. Les adversaires de Rodin mènent une campagne de presse contre lui.

1899. Reçoit commande d'un monument à Puvis de Chavannes. Voyage en Belgique et en Hollande au printemps avec Judith Cladel qui a organisé une exposition itinérante dans ces deux pays.

1900. A l'occasion de l'Exposition universelle, Rodin présente 150 œuvres dans un pavillon élevé place de l'Alma, grâce à l'aide financière de ses admirateurs. L'exposition remporte un très grand succès et vaut à l'artiste une notoriété internationale. Des musées étrangers ainsi que des collectionneurs privés, notamment américains et anglais, lui commandent des sculptures. Le *Monument à Sarmiento* (président de l'Argentine), inauguré à Buenos Aires, rencontre l'hostilité du public et de la presse.

1901. Après une décennie d'intense activité autour de grands projets qui lui attirent nombre d'opposants, Rodin se concentre sur des bustes et des petites sculptures, dont des danseurs. Il consacre davantage de son temps à dessiner et à superviser ses nombreux assistants qui exécutent les répliques en marbre de ses sculptures. Il fonde avec deux d'entre eux, Jules Desbois et Antoine Bourdelle, l'académie Rodin, boulevard Montparnasse. Expose à la Biennale de Venise et à la 3ᵉ Sécession berlinoise.

1902. Edward Steichen vient le voir à Meudon et entreprend de photographier ses œuvres. A Londres, un banquet est donné en son honneur; les étudiants de la Slade School of Art le portent en triomphe. Il se rend à Prague pour l'inauguration de son exposition organisée par la société Manes. Il rencontre Rainer Maria Rilke en

69

70

septembre et tous deux entament une correspondance. Alexis Rudier devient le principal fondeur de Rodin.

1903. Publication de deux ouvrages importants : *Auguste Rodin* par Rainer Maria Rilke et *Auguste Rodin : pris sur la vie* par Judith Cladel. A la mort de Whistler (pour lequel il commence un

monument), Rodin est élu président de la Société internationale des peintres, sculpteurs et graveurs.

1904. Il rencontre Claire Coudert, duchesse de Choiseul, la muse qui dominera sa vie pendant les huit années à venir et l'éloignera de la plupart de ses amis fidèles.

1905. Rainer Maria Rilke devient son secrétaire. Exposition à la Copley Society de Boston et à la Biennale de Venise. *Le Penseur* est installé devant le Panthéon (déplacé en 1922 au musée Rodin). Accompagné de Rilke et du peintre Zuloaga, Rodin voyage en Espagne, visitant Tolède, Madrid, Cordoue, Séville et Pampelune.

1906. Il renvoie Rilke et le remplace par l'Anglais Anthony Ludovici. Les représentations à Paris du ballet royal du Cambodge l'enthousiasment. Il manifeste également son intérêt pour la danse en fréquentant l'école d'Isadora Duncan.

1907. Il est nommé docteur *honoris causa* de l'Université d'Oxford. Première grande exposition de ses dessins à la galerie Bernheim Jeune à Paris. Son travail est montré à Barcelone, Budapest,

Londres, New York, Venise et Berlin.

1908. Le roi Edouard VII d'Angleterre lui rend visite à Meudon. Rodin s'installe au rez-de-chaussée de l'hôtel Biron, rue de Varenne.

1909. Une version modifiée du premier *Monument à Victor Hugo* est placée dans les jardins du Palais-Royal.

1910. La revue *Camera Work* lui consacre un numéro spécial.

1911. L'Etat acquiert l'hôtel Biron. Judith Cladel et Gustave Coquiot proposent d'y organiser un musée Rodin. De nombreux artistes, écrivains et hommes politiques soutiennent le projet.

1912. Rodin se rend à Rome pour juger de l'emplacement futur de *l'Homme qui marche* qu'un groupe d'admirateurs projette d'installer dans la cour du palais Farnèse, siège de l'ambassade de France. L'ambassadeur s'y oppose et la sculpture est envoyée à Lyon. Rodin fait don de dix-huit plâtres au Metropolitan Museum. Sa défense du ballet *l'Aprèsmidi d'un Faune*, dansé par Nijinsky, provoque un nouveau scandale. Il rompt avec la duchesse de Choiseul. Le déclin des facultés mentales du sculpteur ouvre la voie aux intrigues de familiers qui veulent prendre le contrôle de son œuvre.

1913. Sept dessins sont montrés à l'Armory Show à New York. Dujardin-Beaumetz publie ses *Entretiens avec Rodin*. Les *Bourgeois de Calais* sont installés dans Victoria Gardens, à Londres.

1914. Rodin publie *les Cathédrales de France*. Sa santé se dégrade. Se repose dans le Midi. Voyage à Londres à l'occasion des expositions à Grosvenor House, la résidence du duc de Westminster, et au Victoria Albert Museum.

1915. Se rend à Rome où il fait le portrait du pape Benoît XV.

1916. Rodin est très malade. Il fait donation au gouvernement français de toutes ses œuvres pour un musée Rodin installé dans l'hôtel Biron. Ses amis, particulièrement Judith Cladel et Etienne Clémentel, défendent ses intérêts contre les manœuvres qui s'orchestrent autour de lui. La Chambre des députés adopte le 14 septembre, par 391 voix contre 52, le «projet de loi portant acceptation définitive de la donation consentie à l'Etat par M. Rodin». Les deux assemblées ratifient le 22 décembre l'acceptation de la donation de l'hôtel Biron. La personnalité civile et l'autonomie financière du musée Rodin seront formulées dans la loi du 28 juin 1918.

1917. Rodin épouse à Meudon, le 29 janvier, Rose Beuret qui meurt le 14 février. Le 30 octobre, Léon Bonnat et François Flameng lui offrent une place à l'Institut de France. Rodin décède le 17 novembre. Ses obsèques sont célébrées à Meudon le 24 novembre. Il est enterré à côté de Rose Beuret devant la façade reconstituée du château d'Issy-les-Moulineaux, la statue du *Penseur* surmontant sa tombe.

1919. Ouverture au public du musée Rodin.

Bibliographie

La bibliographie de Rodin est très abondante, ceci n'est qu'une sélection.
Une bibliographie exhaustive a été établie par Joseph Adolf Schmollgen. Eisenwerth dans son
ouvrage *Rodin Studien* publié en 1983.

● Rainer Maria Rilke, *Lettres à Rodin*, préface de Georges Grappe, Emile-Paul Frères, Paris, 1931.

● Georges Grappe, *Catalogue du musée Rodin, hôtel Biron. Essai de classement chronologique des œuvres d'Auguste Rodin*, Paris, 1944, 5ᵉ édition.

● Albert E. Elsen, *Rodin's Gates of Hell*, University of Minnesota Press, Minneapolis, 1960.

● Denys Sutton, *Triumphant Satyr: The World of Auguste Rodin*, Country, Londres, 1966.

● Albert E. Elsen, *The Drawings of Rodin*, Praeger Publishers, New York, 1971.

● Albert E. Elsen, *Rodin*, Secker & Warburg, Londres, 1974.

● Victoria Thorson, *Rodin's Graphics. Catalogue Raisonné of Drypoints and Book Illustrations*, Fine Arts Museum, San Francisco, 1975.

● John L. Tancock, *The Sculpture of Auguste Rodin*, Philadephia Museum of Art, 1976.

● Ruth Butler, *Rodin in perspective*, by Prentice-Hall Inc., Englewood Cliffs, New Jersey, 1980.

● Albert E. Elsen, *Dans l'atelier de Rodin*, Phaïdon/Musée Rodin, Oxford, 1980.

● Paul Gsell, *l'Art. Entretiens réunis par Paul Gsell*, Grasset, Paris, 1981 (1ᵉ édition en 1911).

● Claudie Judrin, *Auguste Rodin, Dessins et Aquarelles*, Editions Hervas, Paris, 1982.

● Josef Adolf Schmollgen. Eisenwerth, *Rodin Studien*, Prestel Verlag, Munich, 1983.

● Albert E. Elsen, *Rodin's Thinker and the Dilemnas of Modern Public Sculpture*, Yale University Press, New Haven & Londres, 1985.

● Monique Laurent, *le Musée Rodin*, Hazan, Paris, 1986.

● Nicole Barbier, *Marbres de Rodin. Collection du musée*, Editions du Musée Rodin, Paris, 1987.

● Philippe Sollers, Alain Kirili, *Rodin. Dessins érotiques*, Gallimard, Paris, 1987.

● Frédéric V. Grunfeld, *Rodin*, Arthème Fayard, Paris, 1988.

● Hélène Pinet, *Auguste Rodin, les Mains du Génie*, Gallimard, Paris, 1988.

● Cécile Goldscheider, *Rodin. Catalogue raisonné*, tome I, Institut Wildenstein, Paris, 1989.

● Claudie Judrin, *Inventaire des dessins du musée Rodin*, 5 tomes, musée Rodin, Paris, 1984-1992.

● Ruth Butler, *The Shape of Genius*, Yale University Press, 1993.

● Claudie Judrin, *Quatre-vingt dessins de Rodin*, musée Rodin/R.M.N., Paris, 1995.

● Antoinette Le Normand-Romain, *le Baiser*, Musée Rodin/RMN, Paris, 1995.

Catalogues d'expositions du musée Rodin

● *Rodin et les écrivains de son temps*, Paris, 1975.

● *Auguste Rodin. Les Monuments des Bourgeois de Calais 1884-1895 dans les collections du musée Rodin et du musée des Beaux-Arts de Calais*, Paris-Calais, 1977.

● *Rodin et l'Extrême-Orient*, Paris, 1979.

● *Les Centaures, Cabinet des dessins I*, Paris, 1981.

● *Ugolin, Cabinet des dessins II*, Paris, 1982.

● *Dante et Virgile aux Enfers, Cabinet des dessins III*, Paris 1983.

● *Monet, Rodin*, Paris, 1989.

● *Rodin sculpteur*, Paris, 1993.

● *Rodin, Whistler et la Muse*, Paris, 1994.